# Suppen aus aller Welt

D1859281

BELLAVISTA

# Kürbissuppe

Vorbereitungszeit:
**25 Minuten**
Zubereitungszeit:
**35 Minuten**

**Für 4–6 Portionen**

| | |
|---|---|
| 1 kg Kürbis | 1 Zwiebel, gehackt |
| 60 g Butter | 750 ml Sahne |
| 1 l Hühnerbrühe | frisches Basilikum, in feine Streifen geschnitten, zum Garnieren |
| Salz und Pfeffer, nach Belieben | |

1 Kürbis schälen, grob würfeln. Butter in einem Topf zerlassen, Zwiebel 15 Minuten weich dünsten.
2 Kürbis, Brühe zugeben, 20 Minuten köcheln, bis der Kürbis gar ist. Abkühlen.
3 Die Suppe portionsweise im Mixer glatt pürieren. Wieder in den Topf geben.
4 Mit Salz und Pfeffer abschmecken. Sahne einrühren. Bei schwacher Hitze unter Rühren durchwärmen. Vor dem Servieren mit frischem Basilikum bestreuen.

**Tipp:**
Heiße Suppe immer portionsweise pürieren. Es ist riskant, das Mixgefäß zu überfüllen, weil heiße Flüssigkeit auf Hände und Arbeitsfläche überlaufen kann. Wer eine dickere Suppe ohne Milchprodukte bevorzugt, lässt die Sahne weg. Glattschaliger Kürbis eignet sich besonders gut. Man muss ihn nicht schälen, die Schale wird beim Kochen weich.

*Den geschälten Kürbis in grobe Würfel schneiden.*

*Kürbiswürfel und Hühnerbrühe zur Zwiebel in den Topf geben.*

*Die Mischung portionsweise glatt pürieren.*

*Sahne zugeben und bei schwacher Hitze durchwärmen.*

# Erbsensuppe mit Schinken

Vorbereitungszeit:
**20 Minuten**
**+ Einweichzeit über Nacht**
Zubereitungszeit:
**2 ½ Stunden**

**Für 4–6 Portionen**

- 500 g grüne Spalterbsen
- 750 g Suppenknochen
- 2,5 l Wasser
- 1 Selleriestange, mit Grün, gewürfelt
- 1 Karotte, fein gewürfelt
- 1 Zwiebel, gehackt
- 3 Lauchstangen, in Ringe geschnitten
- 1 Kartoffel, gewürfelt
- Schweinswurst, Petersilie und Roggenbrot, zum Servieren

1 Erbsen über Nacht in kaltem Wasser einweichen. Knochen, abgegossene Erbsen, Wasser, Sellerie, Karotte und Zwiebel in großen Topf geben, aufkochen. Abgedeckt bei schwacher Hitze 2 Stunden köcheln lassen.

2 Lauch, Kartoffeln zufügen. 30 Minuten köcheln, bis das Gemüse gar ist.

3 Knochen aus der Suppe nehmen, das Fleisch ablösen und auf die Seite stellen.

4 Suppe durch ein Sieb streichen. Wieder in den Topf geben. Nach Belieben gewürfeltes Fleisch zugeben. Mit Wurstscheiben und Petersilie garnieren. Dazu Roggenbrot servieren.

**Tipp:**
Die Suppe hat mehr Biss, wenn man sie nicht durch das Sieb streicht.

*Knochen und Gemüse mit dem Wasser in einen großen Topf geben.*

*Lauchringe und Kartoffelwürfel zufügen, wenn die Erbsen weich sind.*

*Das Fleisch von den Knochen lösen und würfeln, die Knochen wegwerfen.*

*Die Suppe durch ein Sieb streichen und wieder in den Topf geben.*

# Pilzcremesuppe

Vorbereitungszeit:
**25 Minuten**
Zubereitungszeit:
**15–20 Minuten**

**Für 4–6 Portionen**

**400 g Champignons**
**60 g Butter**
**3 Knoblauchzehen, zerdrückt**
**30 g Mehl**
**1 l Hühnerbrühe**
**250 ml Sahne**
**Salz und Pfeffer, nach Belieben**

1 Vorsichtig mit den Fingern die Haut von den Pilzen lösen. Stiele und Hüte grob hacken. Butter in großem Topf zerlassen. Knoblauch und Pilze 5 Minuten weich dünsten.
2 Mehl zugeben und 1 Minute anschwitzen. Danach Brühe zugießen und abgedeckt 10 Minuten köcheln lassen.
3 Die Suppe portionsweise in einem Mixer glatt pürieren. Dann wieder in den Topf geben, die Sahne zufügen und bei schwacher Hitze unter Rühren durchwärmen. Anschließend mit Salz und Pfeffer abschmecken und servieren.

**Tipp:**
Champignons mit offenen, braunen Köpfen sind aromatischer als kleine mit runden. Geeignet sind beide!

# Vichyssoise
## (Lauch-Kartoffel-Suppe)

Vorbereitungszeit:
**25 Minuten**
Zubereitungszeit:
**25–30 Minuten**

**Für 4–6 Portionen**

**60 g Butter**
**2 mittlere Lauchstangen, in feine Ringe geschnitten**
**2 große Kartoffeln, geschält und klein gewürfelt**
**750 ml Hühnerbrühe**
**250 ml Milch**
**Salz und Pfeffer, nach Belieben**
**Saure Sahne oder flüssige Sahne, zum Servieren**
**Schnittlauch, gehackt, zum Garnieren**

1 Butter in mittelgroßem Topf zerlassen. Lauch unter Rühren weich dünsten.
2 Kartoffeln, Brühe zufügen, 15 Minuten köcheln, bis die Kartoffeln weich sind. Milch einrühren, mit Salz und Pfeffer abschmecken.
3 Die Suppe portionsweise in einem Mixer glatt pürieren. Nach Belieben im Topf wieder durchwärmen oder kalt stellen. Mit einem Schlag saurer Sahne und Schnittlauchröllchen garniert servieren.

**Tipp:**
Vichyssoise, eine klassische Cremesuppe, wurde im Ritz Carlton Hotel in New York erfunden. Sie eignet sich als feine Vorspeise und wird meist gut gekühlt – nicht nur zimmerwarm – serviert.

*Pilzcremesuppe (oben) und Vichyssoise*

# Muschelsuppe

Vorbereitungszeit:
**35 Minuten**
Zubereitungszeit:
**30 Minuten**

**Für 4 Portionen**

**1,5 kg Venusmuscheln mit Schale**
**250 ml Wasser**
**1 EL Öl**
**125 g Frühstücksspeck, gewürfelt**
**1 Zwiebel, gehackt**
**500 g Kartoffeln, geschält und gewürfelt**
**300 ml Fischfond**
**500 ml Milch**
**125 ml Sahne**
**Salz und Pfeffer, nach Belieben**

**1** Muscheln in großem Topf mit Wasser bedecken. Abgedeckt 5 Minuten bei schwacher Hitze köcheln lassen, bis sich die Schalen öffnen. Noch geschlossene Muscheln wegwerfen. Den Sud durch ein Sieb gießen, zur Seite stellen. Muscheln schälen, das Muschelfleisch fein hacken.

**2** Öl in Pfanne erhitzen. Speck, Zwiebel knusprig braten. Kartoffeln zugeben.

**3** 300 ml Sud mit Fischfond und Milch in Topf geben, aufkochen. Abgedeckt bei schwacher Hitze 20 Minuten köcheln lassen.

**4** Sahne, Muschelfleisch, Salz und Pfeffer zufügen, durchwärmen, servieren.

**Tipp:**
Frische Muscheln haben das beste Aroma. Man kann auch Muscheln aus dem Glas verwenden und den Sud mit Fischfond auffüllen.

*Muscheln in einem großen Topf mit Wasser köcheln lassen, bis sich die Schalen öffnen.*

*Speck- und Zwiebelwürfel in einem Topf knusprig braun anbraten.*

*Muschelsud, Fischfond und Milch zu Speck, Kartoffeln und Zwiebel geben.*

*Sahne und gewürfeltes Muschelfleisch zur Suppe geben und durchwärmen.*

# Spargelcremesuppe

Vorbereitungszeit:
**25 Minuten**
Zubereitungszeit:
**25–30 Minuten**

Für 4–6 Portionen

| | |
|---|---|
| 750 g frischer Spargel | 60 g Butter |
| 1 kleine Zwiebel, gehackt | 30 g Mehl |
| 1 Selleriestange, klein gewürfelt | 750 ml Hühnerbrühe |
| | 160 ml Sahne |

**1** Spargelspitzen abschneiden. Stangen fein hacken, 1 Minute in kochendem Salzwasser blanchieren. Abgießen.

**2** Butter in großem Topf zerlassen. Zwiebel, Sellerie und Spargelstücke zugeben. 5 Minuten unter Rühren weich dünsten. Mehl zugeben und verrühren.

**3** Vom Herd nehmen. Unter Rühren Brühe zugießen. Wieder auf den Herd stellen, aufkochen, 20–25 Minuten köcheln lassen, bis das Gemüse gar ist. Spargelspitzen zufügen und 5 Minuten durchwärmen lassen.

**4** Suppe im Mixer portionsweise glatt pürieren. Wieder in Topf geben, Sahne einrühren. Bei schwacher Hitze erwärmen. Mit Kerbel garnieren, servieren.

**Tipp:**
Als sommerliches Mittagessen schmeckt diese Suppe auch eisgekühlt.

*Spargelspitzen zur Seite stellen, die Stangen fein hacken.*

*Zwiebel und Spargel weich dünsten.*

*Die Hühnerbrühe in den Topf gießen und mit den übrigen Zutaten verrühren.*

*Die Suppe im Mixer portionsweise glatt pürieren.*

# Tomatensuppe

Vorbereitungszeit:
**25 Minuten**
Zubereitungszeit:
**20 Minuten**

**Für 4–6 Portionen**

**1 kg Tomaten**
**1 EL Öl**
**1 Zwiebel, gehackt**
**2 Knoblauchzehen, zerdrückt**
**1 EL Tomatenmark**
**1 l Hühnerbrühe**
**Salz und Pfeffer, nach Belieben**
**½ TL Zucker**

1 Tomaten kreuzweise einschneiden. 1–2 Minuten in kochendes Wasser legen. Kalt abschrecken, vom Einschnitt her häuten. Fleisch hacken. Öl in einer mittelgroßen Pfanne erhitzen. Zwiebel und Knoblauch 5 Minuten weich dünsten.

2 Tomaten und Tomatenmark zufügen. Abgedeckt 10 Minuten köcheln lassen.

3 Brühe, Salz, Pfeffer und Zucker zugeben und abgedeckt 5 Minuten köcheln lassen. Abkühlen lassen.

4 Suppe leicht abkühlen lassen. Im Mixer portionsweise glatt pürieren. In den Topf geben, durchwärmen.

**Tipp:**
Für eine Tomatencremesuppe kurz vor dem Servieren 125 ml Sahne zugeben und bei schwacher Hitze erhitzen, aber nicht kochen lassen.

# Hühnersuppe mit Nudeln

Vorbereitungszeit:
**20 Minuten**
Zubereitungszeit:
**20–25 Minuten**

Für 4–6 Portionen

**2 l Hühnerbrühe**
**250 g gekochtes Hühnchenfleisch, in feine Streifen geschnitten**
**150 g Suppennudeln**
**50 g Petersilie, gehackt**
**Pfeffer, nach Belieben**

1 Brühe in einem Topf aufkochen.

2 Das Hühnerfleisch zufügen. Kurz vor dem Servieren Nudeln und Petersilie zufügen. Anschließend bei schwacher Hitze 10–15 Minuten köcheln, bis die Nudeln gar sind. Abschmecken.

**Tipp:**
Die Nudeln erst kurz vor dem Servieren zugeben, sonst werden sie zu weich. Soll die Suppe leichter sein, kann das Fleisch weggelassen werden.

*Tomatensuppe (oben) und Hühnersuppe mit Nudeln*

# Hühnersuppe mit Mais

Vorbereitungszeit:
**25 Minuten**
Zubereitungszeit:
**20 Minuten**

**Für 4–6 Portionen**

- 2-cm-Stück frischer Ingwer, geschält
- 4 Maiskolben
- 1,5 l Hühnerbrühe
- 250 g gekochtes Hühnchenfleisch, in feine Streifen geschnitten
- 30 g Speisestärke
- 80 ml Wasser
- 8 Frühlingszwiebeln, fein gehackt
- ½ TL Sesamöl
- Salz und Pfeffer

1 Den frischen Ingwer fein reiben.

2 Mais gar dünsten, abkühlen lassen. Körner vom Kolben schneiden. Brühe im Topf erhitzen. Mais, Fleisch, Ingwer zufügen. 5 Minuten köcheln lassen.

3 Speisestärke und Wasser in einer kleinen Schüssel glatt rühren. Die Mischung zur Suppe geben und unter Rühren leicht eindicken lassen.

4 Frühlingszwiebeln, Sesamöl einrühren. Abschmecken, sofort servieren.

**Tipp:**
Cremiger wird die Suppe, wenn man die Hälfte der Maiskörner im Mixer püriert. Statt frischem Mais kann man auch Mais aus der Dose nehmen. Hühnerfleisch kann durch gehacktes Krebsfleisch ersetzt werden.

*Die geschälte Ingwerwurzel fein reiben.*

*Die Maiskörner mit einem scharfen Messer vom Kolben schneiden.*

*Die angerührte Speisestärke zur Suppe in den Topf geben.*

*Frühlingszwiebeln, Sesamöl, Salz und Pfeffer einrühren.*

# Borschtsch

## Rote-Bete-Suppe

Vorbereitungszeit:
**30 Minuten**
Zubereitungszeit:
**40 Minuten**

**Für 6 Portionen**

| | |
|---|---|
| 1,5 kg Rote Bete, geschält | 125 ml Zitronensaft |
| 2,25 l Wasser | 3 Eier |
| 6 TL Zucker | Salz und Pfeffer |

1 Rote Bete raspeln, mit Wasser und Zucker in Topf geben. Unter Rühren bei schwacher Hitze erwärmen, bis der Zucker gelöst ist. Mit halb geschlossenem Deckel 30 Minuten köcheln lassen, gelegentlich den Schaum abschöpfen.

2 Zitronensaft zugeben, ohne Deckel 10 Minuten köcheln lassen. Den Topf vom Herd nehmen.

3 Eier in einer Schüssel aufschlagen. Langsam unter ständigem Rühren die Rote-Bete-Suppe zugeben, die Eier nicht gerinnen lassen. Mit Salz und Pfeffer abschmecken. Die Suppe abkühlen lassen, dann in den Kühlschrank stellen.

Mit einem Schlag saurer Sahne garnieren und servieren.

**Tipp:**
Ein Rezept für die heiße, herzhafte Version dieser Suppe finden Sie auf Seite 32.

# Kalte Gurkensuppe

Vorbereitungszeit:
**20 Minuten**
Zubereitungszeit:
**keine**

**Für 4–6 Portionen**

| | |
|---|---|
| 1 große Gurke | 330 ml Hühnerbrühe |
| 1 große Essiggurke, gehackt | Salz und Pfeffer, nach Belieben |
| 2 EL Zitronensaft | 1 EL frischer Dill, gehackt |
| ½ Zwiebel, geraspelt | |

1 Gurke schälen, entkernen und würfeln, ein Stück als Garnierung auf die Seite stellen. Restliche Gurke mit der Essiggurke, Zitronensaft und Zwiebel in den Mixer geben und glatt pürieren.

2 Mischung in eine große Schüssel geben, Sahne und Brühe einrühren, mit Salz und Pfeffer abschmecken. Kalt stellen. Mit den restlichen Gurkenwürfeln garnieren und mit Dill bestreuen.

**Tipp:**
Um die Gurke zu entkernen, wird sie längs halbiert. Die Kerne können so mit einem Esslöffel einfach ausgeschabt werden.
Gurkensuppe sollte 1 bis 2 Tage im Kühlschrank durchziehen, damit sich das Aroma voll entwickelt.

*Borschtsch (oben) und Kalte Gurkensuppe*

# Minestrone

## Italienische Gemüsesuppe

Vorbereitungszeit:
**30 Minuten**
**+ Einweichzeit**
**über Nacht**
Zubereitungszeit:
2 ¾ Stunden

**Für 6–8 Portionen**

- 250 g getrocknete Bohnen
- 2 EL Öl
- 2 Zwiebeln, gehackt
- 2 Knoblauchzehen, zerdrückt
- 2 Scheiben Frühstücksspeck, klein gewürfelt
- 4 Tomaten, gehäutet und klein gewürfelt
- 15 g Petersilie, gehackt
- 2,75 l Rinderbrühe
- 60 ml Rotwein
- 1 Karotte, gewürfelt
- 1 weiße Rübe, gewürfelt
- 2 Kartoffeln, gewürfelt
- 1 Selleriestange, gewürfelt
- 60 ml Tomatenmark
- 1 Zucchini, gewürfelt
- 75 g grüne Bohnen, in Stücke geschnitten
- 75 g kleine Hörnchennudeln
- 30 g geriebener Emmentaler
- Salz und Pfeffer
- gehobelter Parmesan

**1** Bohnen über Nacht in kaltem Wasser einweichen, abgießen. In Topf mit kochendem Wasser geben, 15 Minuten köcheln, wieder abgießen. Öl im Topf erhitzen. Zwiebel, Speck, Knoblauch anbraten, umrühren.

**2** Tomaten, Petersilie, Bohnen, Brühe, Wein zugeben. Abgedeckt bei schwacher Hitze 2 Stunden köcheln.

**3** Karotte, Rübe, Kartoffel, Sellerie, Tomatenmark zufügen. Abgedeckt 15–20 Minuten köcheln lassen.

**4** Kurz vor dem Servieren Zucchini, grüne Bohnen, Makkaroni, Käse zufügen. Abgedeckt 10 Minuten köcheln lassen, bis Gemüse und Nudeln gar sind. Salzen und pfeffern. Mit Parmesanspänen garnieren, servieren.

**Tipp:**
Nach Belieben können die Nudeln separat gekocht und direkt vor dem Servieren in die Suppe gegeben werden.

*Die Bohnen über Nacht einweichen und abgießen.*

*Tomaten und Petersilie zu Speck, Zwiebeln und Knoblauch geben.*

*Tomatenmark und restliches Gemüse in den Topf geben.*

*Die Suppe köcheln lassen, bis das Gemüse und die Nudeln gar sind.*

# Blumenkohlcremesuppe

Vorbereitungszeit:
**20 Minuten**
Zubereitungszeit:
**15–20 Minuten**

**Für 4–6 Portionen**

**750 g Blumekohl**
**1 EL Öl**
**750 ml Hühnerbrühe**
**250 ml Sahne**
**¼ TL geriebene Muskatnuss**
**Salz und Pfeffer, nach Belieben**

1 Blumenkohl in Röschen zerteilen. Öl in großem Topf erhitzen, den Blumenkohl 3 Minuten andünsten, bis er gerade weich wird.

2 Die Brühe zugeben und abgedeckt 10–15 Minuten köcheln lassen, bis der Blumenkohl gar ist. Sahne einrühren.

3 Suppe leicht abkühlen lassen, dann portionsweise im Mixer glatt pürieren. Wieder in den Topf geben, durchwärmen. Mit Muskat, Salz und Pfeffer abschmecken. Mit frisch gemahlenem Pfeffer bestreuen und sofort servieren.

**Tipp:**
Wählen Sie einen festen, frischen Blumenkohl ohne dunkle Flecken. Gehaltvoller wird die Suppe, wenn man 125 g geriebenen Emmentaler zugibt.

# Spinatcremesuppe

Vorbereitungszeit:
**25 Minuten**
Zubereitungszeit:
**25 Minuten**

**Für 4–6 Portionen**

**500 g junger Spinat**
**60 g Butter**
**1 Zwiebel, in Ringe geschnitten**
**2 EL Mehl**
**375 ml Milch**
**625 ml Hühner- oder Gemüsebrühe**
**¼ TL geriebene Muskatnuss**
**Salz und Pfeffer, nach Belieben**

1 Spinatstiele entfernen, Blätter waschen und hacken. Butter im Topf zerlassen. Zwiebel weich dünsten. Spinat zufügen, unter Rühren kurz zusammenfallen lassen.

2 Mehl zugeben und mit dem Gemüse verrühren. Topf vom Herd nehmen, Brühe einrühren, erneut aufkochen. Bei mittlerer Hitze cremig einkochen lassen. Restliche Zutaten zufügen. Abgedeckt 15–20 Minuten köcheln lassen.

3 Suppe leicht abkühlen lassen. Portionsweise im Mixer glatt pürieren. Wieder in den Topf geben, durchwärmen. Nach Belieben mit Croûtons garnieren.

**Tipp:**
Wenn die Suppe dunkler werden soll, Spinat durch grünen Mangold ersetzen.

*Blumenkohlcremesuppe (oben) und Spinatcremesuppe*

# Rinder-Consommé

Vorbereitungszeit:
**20 Minuten**
Zubereitungszeit:
**45 Minuten**

**Für 4 Portionen**

**350 g Suppenfleisch vom Rind**
**2 mittlere Karotten**
**2 Selleriestangen**
**2 kleine Lauchstangen**
**2 mittlere Tomaten, gewürfelt**
**3 Eiweiß**
**1,5 l Rinderbrühe**
**Salz und Pfeffer**
**1 mittlere Karotte, zusätzlich, in Julienne geschnitten**
**1 kleine Lauchstange, zusätzlich, in Julienne geschnitten**

**1** Das Fett vom Fleisch abschneiden. Das Fleisch fein würfeln oder im Mixer zerkleinern. Karotten, Sellerie und Lauch fein hacken. Mit Tomaten, Fleisch und Eiweiß in einen Topf geben und gut verrühren.

**2** Brühe erwärmen, mit Salz und Pfeffer abschmecken. Langsam Brühe zur Fleisch-Gemüse-Mischung geben, dabei bei mittlerer Hitze ständig rühren.
Die Suppe langsam zum Kochen bringen, dabei weiterhin rühren. Mit einem großen Löffel eine Öffnung in die Schaumschicht schieben. Ohne Deckel 35 Minuten leicht köcheln lassen, nicht rühren. Ein feuchtes Geschirrhandtuch oder ein Stück doppelt gelegten Mull in ein großes Sieb legen und die Suppe in einen großen, sauberen Topf abseihen. Abschmecken, wieder erhitzen und servieren. Mit feinen Karotten- und Lauchstreifen garnieren – erst unmittelbar vor dem Servieren zufügen, damit die Suppe klar bleibt.

**Tipp:**
Consommé ist eine klare, aber sehr intensive Brühe, die sich als Vorspeise für ein feines Menü eignet. Um die Consommé perfekt zu klären, muss sie eventuell zweimal abgeseiht werden.

*Fleisch, Karotten, Sellerie und Lauch fein hacken.*

*Mit einem großen Löffel eine Öffnung in den Schaum auf der Suppe drücken.*

# Gazpacho

## Geeiste Gemüsesuppe

Vorbereitungszeit:
**20 Minuten**
Zubereitungszeit:
**10–15 Minuten**

**Für 6–8 Portionen**

**1 rote Zwiebel**
**3 Tomaten**
**½ mittlere Gurke**
**½ grüne Paprikaschote, entkernt**
**½ rote Paprikaschote, entkernt**
**1 Knoblauchzehe, zerdrückt**
**850 ml Tomatensaft**
**½ TL Zucker**
**Salz und Pfeffer, nach Belieben**
**60 ml Olivenöl**
**60 ml Weißweinessig**

**Knoblauchcroûtons**
**6 Scheiben Weißbrot**
**60 ml Olivenöl**
**1 Knoblauchzehe, zerdrückt**

**1** Gemüse fein hacken und mit dem Knoblauch in eine große Schüssel geben.
**2** Saft, Zucker, Salz und Pfeffer einrühren. Essig, Öl zugießen. Gut vermischen und kalt stellen. Mit Knoblauchcroûtons garnieren und gekühlt servieren.
**3** Für die Croûtons Backofen auf 180 °C vorheizen. Brot entrinden. In 1 cm große Würfel schneiden. Mit Knoblauch-Öl-Mischung beträufeln. Auf Backblech ausbreiten und 10–15 Minuten goldbraun backen.

*Zwiebel, Tomaten, Gurke und Paprika fein hacken.*

*Öl und Essig verrühren und zu Tomatensaft, Gemüse und Gewürzen geben.*

*Das Brot entrinden und in kleine Würfel schneiden.*

*Die Croûtons bei 180 °C goldbraun backen.*

# Linsensuppe mit Speck

Vorbereitungszeit:
**25 Minuten**
Zubereitungszeit:
**1 Stunde 20 Minuten**

**Für 6 Portionen**

**200 g rote Linsen**
**1,1 l Hühnerbrühe**
**1 Knoblauchzehe, zerdrückt**
**2 Gewürznelken**
**2 Scheiben Frühstücksspeck, gewürfelt**
**410 g Dosentomaten oder 3 Tomaten, gewürfelt**
**1 mittlere Zwiebel, gehackt**
**Salz und Pfeffer, nach Belieben**
**450 g Kartoffeln, geschält und gewürfelt**
**2 EL Zitronensaft**
**1 Cabanossiwurst oder 2 Scheiben Frühstücksspeck, knusprig gebraten, zum Garnieren**

1 Die Linsen gründlich waschen und abtropfen lassen. Mit Brühe, Knoblauch, Gewürznelken, Speck, Tomaten, Zwiebel, Salz und Pfeffer in einem Topf aufkochen. Die Temperatur reduzieren. Abgedeckt bei schwacher Hitze 45 Minuten köcheln lassen.

2 Kartoffeln zufügen, abgedeckt 20 Minuten köcheln lassen, bis sie gar sind.

3 Die Suppe durch ein Sieb in eine große Schüssel streichen.

4 Wieder in den Topf geben, Zitronensaft zufügen und sanft erhitzen. Mit Speckwürfeln oder Wurstscheiben garnieren.

**Tipp:**
Je nach bevorzugtem Biss kann man die Suppe auch unpüriert lassen.

# Selleriecremesuppe

Vorbereitungszeit:
**10 Minuten**
Zubereitungszeit:
**30 Minuten**

**Für 4–6 Portionen**

**1 Selleriestaude, mit Grün**
**60 g Butter**
**1 Zwiebel, gehackt**
**1,1 l Hühnerbrühe**
**375 ml Sahne**
**Selleriesalz und Pfeffer, nach Belieben**

1 Sellerie fein würfeln. Butter im Topf erhitzen und die Zwiebel weich dünsten. Bei schwacher Hitze weich dünsten, aber nicht bräunen.

2 Die Brühe zugießen und abgedeckt 20 Minuten köcheln lassen, bis der Sellerie gar ist.

3 Suppe leicht abkühlen lassen, dann portionsweise im Mixer glatt pürieren. Wieder in den Topf geben, Sahne, Salz und Pfeffer zufügen und unter häufigem Rühren durchwärmen. Mit Sellerieblättern garnieren und sofort servieren.

**Tipp:**
Staudensellerie muss vor dem Pürieren gut durchgegart sein, damit die Fasern sich zerkleinern lassen.

*Linsensuppe mit Speck (oben) und Selleriecremesuppe*

# Französische Zwiebelsuppe

Vorbereitungszeit:
**15 Minuten**
Zubereitungszeit:
**1 Stunde 15 Minuten**

**Für 4–6 Portionen**

| | |
|---|---|
| 1 kg Zwiebeln | Salz und Pfeffer |
| 60 g Butter | 1 Baguette |
| 1 TL Zucker | 125 g geriebener Gruyère oder Emmentaler, zum Garnieren |
| 30 g Mehl | |
| 2,25 l Rinderbrühe | |

**1** Zwiebeln schälen und in feine Ringe schneiden. Die Butter in einem großen Topf zerlassen. Zwiebeln langsam bei schwacher Hitze 20 Minuten weich dünsten.

**2** Zucker und Mehl zufügen und 1–2 Minuten unter ständigem Rühren anschwitzen, bis die Mischung goldbraun wird.

**3** Die Brühe einrühren und abgedeckt 1 Stunde bei schwacher Hitze köcheln lassen. Abschmecken.

**4** Backofen auf 180 °C vorheizen. Ein Baguette in 1,5 cm dicke Scheiben schneiden. Die Scheiben 20 Minuten backen, dabei einmal wenden, bis sie goldbraun und knusprig sind. Mit geriebenem Käse bestreuen. Unter heißem Grill kurz überbacken. Die Suppe mit den Käsecroûtons servieren und mit geriebenem Käse bestreuen.

*Die Zwiebeln schälen und in dünne Ringe schneiden.*

*Zucker und Mehl zu den weich gedünsteten Zwiebeln geben.*

*Die Suppe mit Salz und Pfeffer abschmecken.*

*Das Brot mit geriebenem Gruyère oder Emmentaler bestreuen.*

# Ländliche Gemüsesuppe

Vorbereitungszeit:
**35 Minuten**
Zubereitungszeit:
**3 Stunden**

**Für 6–8 Portionen**

| | |
|---|---|
| Körner von 2 Maiskolben | 2 Karotten, gewürfelt |
| 2 EL Öl | 2 Selleriestangen, gewürfelt |
| 600 g Rinderknochen | 2 Kartoffeln, geschält und gewürfelt |
| 500 g Kammstück vom Rind, gewürfelt | 1 weiße Rübe, geschält und gewürfelt |
| 2,5 l Wasser | 3 Tomaten, gehäutet und gewürfelt |
| 2 Lorbeerblätter | 150 g Erbsen |
| 5 schwarze Pfefferkörner | |
| 1 Zwiebel, gehackt | |
| 100 g Rollgerste | |

1 Öl in großem Topf erhitzen. Knochen, Fleisch unter Rühren anbräunen. Wasser, Lorbeerblätter, Pfefferkörner, Zwiebeln zugeben und abgedeckt bei schwacher Hitze 2 Stunden köcheln lassen.

2 Knochen entfernen. Schaum und Fett von der Oberfläche abschöpfen. Die Gerste zugeben. Abgedeckt bei schwacher Hitze 40 Minuten köcheln lassen.

3 Karotten, Sellerie, Kartoffeln, Rübe und Tomate zufügen. Abgedeckt bei schwacher Hitze 35 Minuten köcheln lassen. Erbsen und Mais zugeben und abgedeckt gar ziehen lassen.

*Wasser, Gewürze und Zwiebeln zu Knochen und Fleisch in den Topf geben.*

*Fett oder Schaum mit einem großen Löffel von der Oberfläche abschöpfen.*

*Gewürfelte Karotten, Sellerie, Kartoffeln, Rübe und Tomaten zur Suppe geben.*

*Erbsen und Mais zugeben und köcheln lassen, bis alle Gemüse gar sind.*

# Rote-Bete-Suppe

Vorbereitungszeit:
**30 Minuten**
Zubereitungszeit:
**1 ½ Stunden**

**Für 6–8 Portionen**

**600 g Rote Bete**
**1 kg Kammstück vom Rind**
**2 EL Öl**
**2 l Wasser oder Rinderbrühe**
**½ kleiner Weißkohl, gehobelt**
**1 Zwiebel, gehackt**
**500 g Tomaten, gehäutet und gewürfelt**
**4 Knoblauchzehen, zerdrückt**
**2 Kartoffeln, geschält und gewürfelt**
**Salz und Pfeffer**

**1** Rote Bete schälen und in 1 cm große Würfel schneiden. Fleisch fein würfeln. Öl in einem großen Topf erhitzen, das Fleisch unter Rühren anbraten.

**2** Wasser oder Brühe zugießen. Abgedeckt 40 Minuten köcheln lassen.

**3** Rote Bete, Kohl, Tomaten, Zwiebel, Knoblauch zufügen, abgedeckt 40 Minuten köcheln lassen. Die Kartoffeln zugeben und weitere 15 Minuten köcheln lassen, bis sie gar sind. Mit Salz und Pfeffer abschmecken und servieren.

**Tipp:**
Rote-Bete-Suppe, oder Borschtsch, schmeckt heiß oder kalt (siehe Seite 16).

# Geflügelcremesuppe

Vorbereitungszeit:
**15 Minuten**
Zubereitungszeit:
**20 Minuten**

**Für 4–6 Portionen**

**60 g Butter**
**40 g Mehl**
**500 ml Hühnerbrühe**
**250 ml Milch**
**1 Hähnchenbrustfilet, fein gehackt**
**250 ml Sahne**
**1 Selleriestange, fein gehackt**
**Salz**
**20 g frische Petersilie, gehackt**

**1** Butter in großem Topf zerlassen. Mehl darin 2 Minuten unter ständigem Rühren hellbraun anschwitzen. Portionsweise unter ständigem Rühren Brühe zugeben. Unter Rühren bei mittlerer Hitze aufkochen und eindicken lassen.

**2** Milch, Fleisch, Sahne und Sellerie zufügen. bei schwacher Hitze 5 Minuten köcheln lassen, bis das Fleisch gar ist. Mit Salz abschmecken.

**3** Mit frisch gehackter Petersilie bestreuen und servieren.

*Rote-Bete-Suppe (oben) und Geflügelcremesuppe*

# Bouillabaisse

Vorbereitungszeit:
**40 Minuten**
Zubereitungszeit:
**1 Stunde 30 Minuten**

**Für 4–6 Portionen**

Rouille
4 dünne Scheiben Weißbrot, ohne Rinde
Wasser, zum Einweichen
4 Knoblauchzehen, zerdrückt
2 rote Chili, fein gehackt
2 Eigelb
Salz und frisch gemahlener schwarzer Pfeffer
180 ml Olivenöl

1–2 Fischköpfe
500 g Riesengarnelen, geschält und gesäubert, mit Köpfen und Schwänzen
1 Hummerschwanz, Fleisch gehackt, Schale aufbewahrt
250 ml Weißwein
500 ml Wasser
1 kl. rote Zwiebel, gehackt
2 Knoblauchzehen, gehackt
1 Lorbeerblatt
125 ml Olivenöl
1 kleine Lauchstange, in feine Ringe geschnitten
2 mittlere rote Zwiebeln, zusätzlich, fein gehackt
4 Knoblauchzehen, zusätzlich, zerdrückt
4–6 Tomaten, gehäutet und klein gewürfelt
125 ml Tomatenmark
¼ TL Safranpulver
2 Lorbeerblätter, zusätzlich
1 TL Basilikum, getrocknet
1 TL Fenchelsamen
5-cm-Stück Orangenschale
Salz und schwarzer Pfeffer
500 g weißfleischiger Fisch, gehäutet und entgrätet, in 3 cm große Stücken
12 Muscheln, gesäubert und eingeweicht
30 g Petersilie, fein gehackt

1 Für die Rouille das Brot 5 Minuten in einer kleinen Schüssel mit Wasser einweichen. Ausdrücken und mit Knoblauch, Chilis, Eigelben, Salz und Pfeffer im Mixer 20 Sekunden pürieren. Bei laufendem Motor das Öl in dünnem Strahl zulaufen lassen. In eine Schüssel füllen, abdecken und kalt stellen.

2 Fischköpfe, Garnelen- und Hummerschalen in einen großen Topf geben. Wein, Wasser, Zwiebel, Knoblauch und Lorbeerblatt zufügen. Aufkochen und 20 Minuten köcheln lassen. Abseihen und dabei den Sud auffangen.

3 Öl in einem großen Topf erhitzen. Lauch, Zwiebel und Knoblauch unter gelegentlichem Rühren bei mittlerer Hitze 20 Minuten andünsten. Tomaten, Tomatenmark, Safran, Lorbeerblätter, Basilikum, Fenchelsamen, Orangenschale, Salz und Pfeffer zufügen, umrühren. Ohne Deckel 10 Minuten unter häufigem Rühren köcheln lassen. Fischsud zugießen und 10 Minuten kochen, dabei häufig rühren.

4 Temperatur reduzieren. Fisch, Hummerfleisch und Muscheln zufügen. Abgedeckt 4–5 Minuten garen, bis die Muscheln sich öffnen. Noch geschlossene Muscheln wegwerfen. Die Garnelen zugeben und abgedeckt 3–4 Minuten garen. Orangenschale und Lorbeerblätter entfernen. Mit Petersilie bestreuen und zu Baguette und Rouille servieren.

*Das Öl bei laufendem Motor in dünnem Strahl zur Rouille gießen.*

*Fisch, Hummerfleisch und Muscheln zu den übrigen Zutaten in den Topf geben.*

# Kalte Avocadosuppe

Vorbereitungszeit:
**10 Minuten**
Zubereitungszeit:
**keine**

**Für 4–6 Portionen**

**3 mittlere reife Avocados**
**250 ml Sahne**
**750 ml Hühnerbrühe**
**Salz und Pfeffer, nach Belieben**
**80 ml Zitronensaft**
**saure Sahne oder Sahne und Schnittlauch oder in Ringe geschnittene Frühlingszwiebel, zum Servieren**

1 Avocados schälen und entsteinen, Fruchtfleisch im Mixer glatt pürieren. Sahne zugeben, mit der Intervalltaste einige Sekunden unterrühren.

2 Brühe, Salz, Pfeffer und Zitronensaft nach Belieben zufügen, alles glatt pürieren. Zimmerwarm oder gut gekühlt mit einem Schlag saurer Sahne oder Sahne und Schnittlauchröllchen oder Frühlingszwiebeln servieren. Nach Belieben kann die Suppe auch sanft erwärmt werden.

**Tipp:**
Die Avocadosuppe gleich nach der Zubereitung servieren, weil sie sich trotz des Zusatzes von Zitronensaft schnell verfärbt.

# Karottensuppe

Vorbereitungszeit:
**20 Minuten**
Zubereitungszeit:
**30 Minuten**

**Für 4–6 Portionen**

**500 g Karotten, in dünne Scheiben geschnitten**
**1 große Zwiebel, in dünne Scheiben geschnitten**
**60 g Butter**
**1 EL Mehl**
**1,25 l Hühnerbrühe**
**180 ml Sahne**
**Salz und Pfeffer**
**Schnittlauch, zum Servieren**

1 Butter in großem Topf zerlassen, Zwiebel und Karotten zugeben, dünsten, bis die Zwiebel glasig ist.

2 Mehl einrühren, vom Herd nehmen. Brühe einrühren. Langsam unter ständigem Rühren aufkochen und eindicken lassen. Abgedeckt bei schwacher Hitze 25 Minuten köcheln lassen, bis die Karotten weich sind.

3 Suppe leicht abkühlen lassen, dann portionsweise im Mixer glatt pürieren. Wieder in den Topf geben und unter ständigem Rühren durchwärmen. Sahne einrühren und mit Salz und Pfeffer abschmecken. Mit Schnittlauchröllchen bestreuen und servieren.

**Tipp:**
Für eine feine Variante die abgeriebene Schale von 1 Orange und den Saft von 2 Orangen zugeben und mit etwas frisch geriebenem Ingwer würzen.

*Kalte Avocadosuppe (oben) und Karottensuppe*

# Mulligatawny

Vorbereitungszeit:
**40 Minuten**
Zubereitungszeit:
**1 Stunde 20 Minuten**

**Für 6 Portionen**

**1 kg Hähnchenteile**
**2 EL Mehl**
**2 TL Currypulver**
**1 TL Kurkuma**
**½ TL gemahlener Ingwer**
**60 g Butter**
**12 schwarze Pfefferkörner**
**6 Gewürznelken**
**1 großer Apfel, geschält und gewürfelt**
**1,5 l Hühnerbrühe**
**2 EL Zitronensaft**
**125 ml Sahne**
**gekochter Reis und Chutney, zum Servieren**

**1** Fett und Sehnen vom Fleisch entfernen. Mehl, Currypulver, Kurkuma und Ingwer vermischen, das Fleisch damit einreiben.

**2** Butter in großem Topf zerlassen, das Fleisch rundum hell anbraten. Gewürznelken und Pfefferkörner in ein Stück Mull einbinden und mit Apfel und Brühe in den Topf geben. Aufkochen, Temperatur leicht reduzieren und abgedeckt 1 Stunde köcheln lassen.

**3** Fleisch aus dem Topf nehmen, Mullsäckchen entfernen. Das Fleisch von den Knochen lösen und klein würfeln. Das Fett von der Suppe abschöpfen.

**4** Das Fleisch wieder in den Topf geben. Zitronensaft und Sahne einrühren und durchwärmen. Reis und Chutney separat zur Suppe reichen.

**Tipp:**
Mulligatawny ist ein berühmtes Gericht aus der anglo-indischen Kolonialzeit. Der Name kommt aus dem Tamilischen und bedeutet Pfefferwasser. Sie ist nicht so scharf wie ein Curry, kann jedoch nach Geschmack gewürzt werden.

*Das Fleisch rundum mit der Mehl-Gewürz-Mischung einreiben.*

*Gewürznelken und Pfefferkörner in Mull einbinden und zugeben.*

*Das gegarte Fleisch klein würfeln, wieder in die Suppe geben.*

*Zitronensaft und Sahne zufügen und behutsam erhitzen.*

# Garnelen-Bisque

Vorbereitungszeit:
**25 Minuten**
Zubereitungszeit:
**15–20 Minuten**

**Für 4–6 Portionen**

**500 g Garnelen**
**60 g Butter**
**2 EL Mehl**
**2 l Fischfond**
**½ TL Paprikapulver**
**Salz, nach Belieben**
**250 ml Sahne**
**80 ml trockener Sherry**
**Paprikapulver, zusätzlich, zum Servieren**

1 Garnelen schälen und säubern. Schalen und Köpfe aufbewahren. Butter in einem Topf zerlassen, Garnelenabfälle zugeben und 5 Minuten andünsten, dabei mit einem Holzlöffel zerdrücken.

2 Mehl einrühren. Brühe, Paprika und Salz zufügen. Bei schwacher Hitze kochen. Abgedeckt bei schwacher Hitze 10 Minuten köcheln. Abseihen. Garnelenfleisch in die Suppe geben, 2–3 Minuten garen. Suppe leicht abkühlen lassen. Portionsweise im Mixer glatt pürieren.

3 Wieder in Topf geben. Sahne, Sherry zufügen, durchwärmen. Mit Paprika bestreut servieren.

**Tipp:**
Garnelenschalen und -köpfe geben der Suppe ihr herzhaftes Aroma. Einige Garnelen zum Garnieren aufheben.

# Miso-Suppe

Vorbereitungszeit:
**30 Minuten**
Zubereitungszeit:
**5 Minuten**

**Für 4 Portionen**

**20 g Wakame (getrocknete Algen)**
**250 g Tofu, gewürfelt**
**750 ml Dashi (japanische Brühe)**
**2 EL rote Miso-Paste**

1 Das Wakame abspülen und 15 Minuten in einer kleinen Schüssel mit Wasser einweichen, dann abgießen und in kleine Stücke schneiden.
2 Die Dashi in einem mittelgroßen Topf zum Kochen bringen. Danach Wakame und Tofu zugeben, die Temperatur reduzieren und 1 Minute köcheln lassen.
3 Die Miso in einer kleinen Schüssel mit etwas heißer Brühe auflösen. Dann den Topf vom Herd nehmen. Die Miso-Mischung einrühren und sofort servieren.

**Tipp:**
Die Zutaten für diese Suppe bekommt man in asiatischen Lebensmittelgeschäften. Dashi ist eine Brühe aus getrocknetem Seetang und kleinen Fischen, die in Japan häufig verwendet wird. Man kann sie selbst herstellen, Instantprodukte sind aber praktischer. Man löst sie in heißem Wasser auf.

*Garnelen-Bisque (oben) und Miso-Suppe*

# Szechuansuppe

## Scharf-saure Suppe

Vorbereitungszeit:
**20 Minuten**
**+ 30 Minuten**
**Einweichzeit**
Zubereitungszeit:
**15 Minuten**

**Für 6–8 Portionen**

**4 getrocknete chinesische Pilze**
**50 g breite Glasnudeln**
**1 l Hühnerbrühe**
**250 g gekochtes Hähnchenfleisch, fein gehackt**
**230 g Bambussprossen aus der Dose, abgetropft, in kleine Stücke geschnitten**
**1 EL Speisestärke**
**1 TL geriebener frischer Ingwer**
**80 ml Wasser**
**1 Ei, leicht verquirlt**
**1 EL Tomatensauce**
**1 EL Sojasauce**
**1 EL Essig**
**2 TL Sesamöl**
**2 Frühlingszwiebeln, fein gehackt**
**Salz und schwarzer Pfeffer**

**1** Pilze in einer kleinen Schüssel mit heißem Wasser übergießen, 30 Minuten quellen lassen, abgießen, hacken. Glasnudeln 20 Minuten in kaltem Wasser einweichen, abgießen und in kurze Stücke schneiden.

**2** Brühe in großem Topf aufkochen. Pilze, Nudeln, Fleisch, Bambussprossen und Ingwer zufügen. Die Temperatur reduzieren und leicht köcheln lassen.

**3** Speisestärke, Wasser in einer kleinen Schüssel glatt rühren. Zur Suppe geben, aufkochen, bis die Suppe klar wird. Verquirltes Ei unter Rühren in dünnem Strahl zulaufen lassen.

**4** Topf vom Herd nehmen. Tomatensauce, Essig, Sesamöl und Frühlingszwiebeln einrühren. Salzen und pfeffern. Nach Belieben mit Frühlingszwiebel-Ringen bestreuen.

**Tipp:**
Die Provinz Szechuan ist für ihre würzig-scharfe Küche bekannt. Wer es feuriger mag, gibt einige Tropfen Chiliöl an die Suppe.

*Die eingeweichten, abgetropften Glasnudeln in kurze Stücke schneiden.*

*Bambussprossen, Pilze, Nudeln, Fleisch und Ingwer in die Brühe geben.*

*Das verquirlte Ei unter ständigem Rühren in dünnem Strahl in die Brühe gießen.*

*Tomatensauce, Sojasauce, Essig, Sesamöl und Frühlingszwiebeln zugeben.*

# Laksa mit Meeresfrüchten

Vorbereitungszeit:
**45 Minuten**
Zubereitungszeit:
**35 Minuten**

**Für 4 Portionen**

| | |
|---|---|
| 1 kg mittlere Garnelen | 2 Stängel Zitronengras, nur der weiße Teil |
| 125 ml Öl | 400 ml Kokosmilch oder -creme |
| 1 l Wasser | 3 TL Salz |
| 6 große rote Chilischoten, entkernt | 1 TL brauner Zucker |
| 1 große Zwiebel, grob gehackt | 125 g Reis-Vermicelli |
| 2 Knoblauchzehen, geschält | 2 kleine Gurken, in Stifte geschnitten |
| 3 Scheiben Ingwer oder Galgant | 250 g Bohnensprossen, geputzt |
| 1 TL Kurkuma | 20 g frische Minze, gehackt, oder vietnamesische Minzezweige, zum Servieren |
| 1 EL gemahlener Koriander | |
| 6 Macadamianüsse, optional | |
| 1 TL Shrimppaste | |

1 Garnelen schälen und säubern, die Schwanzflossen intakt lassen. Köpfe, Schalen aufbewahren. 2 EL Öl in großem Topf erhitzen. Garnelenabfälle darin anbraten. Wasser zugeben, aufkochen. Temperatur reduzieren und 15 Minuten köcheln lassen. Abseihen.

2 Chilis, Zwiebel, Ingwer, Knoblauch, Kurkuma, Koriander und Nüsse im Mixer glatt pürieren. Restliche Öl in großem Topf erhitzen, Zwiebelmischung und Shrimppaste zugeben. Das Zitronengras mit großem Messer flach drücken. In den Topf geben. Bei schwacher Hitze 3 Minuten unter Rühren erwärmen.

3 Garnelensud zugeben, 10 Minuten köcheln lassen. Kokosmilch, Salz, Zucker zufügen und 5 Minuten köcheln lassen. Garnelen zugeben und 2 Minuten garen. Mit einem Schaumlöffel aus dem Topf nehmen und zur Seite stellen.

4 In einem Topf Wasser aufkochen, die Nudeln zufügen und 2 Minuten garen. In eine große Schüssel geben, Gurke, Bohnensprossen und Garnelen zufügen. Die heiße Suppe zugießen, mit gehackter Minze bestreuen und servieren.

*Die Garnelenabfälle unter Rühren anbraten, dann das Wasser zugießen.*

*Das zerdrückte Zitronengras zur Shrimppaste und der Zwiebelmischung im Topf geben.*

*Gegarte Garnelen mit einem Schaumlöffel aus dem Topf nehmen und zur Seite stellen.*

*Die Bohnensprossen putzen und in eine Schüssel geben.*

# Schottischer Eintopf

Vorbereitungszeit:
**30 Minuten + Kühlzeit**
Zubereitungszeit:
**2 ¾ Stunden**

**Für 6–8 Portionen**

- **1 kg Lammnackenchops oder Lammhachse**
- **2,5 l Wasser oder Brühe**
- **Salz und Pfeffer, nach Belieben**
- **1 Karotte, gewürfelt**
- **1 weiße Rübe, gewürfelt**
- **1 Zwiebel, gehackt**
- **2 Lauchstangen, in Ringe geschnitten**
- **100 g Rollgerste**
- **30 g Petersilie, gehackt**

1 Das Fett vom Fleisch entfernen. Fleisch mit Wasser, Salz und Pfeffer in einen großen Topf geben, aufkochen. Bei schwacher Hitze 1 Stunde köcheln lassen. Schaum von der Oberfläche abschöpfen.

2 Karotte, Rübe, Zwiebel, Lauch und Gerste zugeben, ohne Deckel 1–1 ½ Stunden köcheln lassen, bis Gemüse und Gerste gar sind. Fleisch von den Knochen lösen. Wieder in die Suppe geben. Abkühlen lassen, kalt stellen. Erstarrtes Fett von der Oberfläche abnehmen. Suppe wieder erwärmen, Petersilie einrühren. Nach Belieben mit frischem, knusprigem Brot servieren.

**Tipp:**
Für diesen nahrhaften, sättigenden Gemüseeintopf kann man je nach Saison auch anderes Gemüse verwenden.

# Französische Kartoffelsuppe

**Kartoffel-Möhren-Suppe**

Vorbereitungszeit:
**20 Minuten**
Zubereitungszeit:
**40–50 Minuten**

**Für 6–8 Portionen**

- **500 g Kartoffeln**
- **3 Karotten**
- **2 Lauchstangen**
- **30 g Butter**
- **1,5 l Wasser oder Hühnerbrühe**
- **1 TL Zucker**
- **Salz**
- **Pfeffer**
- **180 ml Sahne**
- **Petersilie oder Kerbel, zum Servieren**

1 Kartoffeln und Karotten schälen. Kartoffeln, Karotten und Lauch in kleine Stücke schneiden. Butter in einem großen Topf bei mittlerer Hitze zerlassen. Lauch und Karotten zugeben, weich dünsten. Kartoffeln zugeben und gründlich durchrühren.

2 Wasser oder Brühe, Zucker, Salz, Pfeffer zugeben. 30–40 Minuten köcheln lassen, bis das Gemüse gar ist.

3 Gemüse portionsweise im Mixer pürieren. Wieder in den Topf geben, Sahne einrühren, durchwärmen lassen. Mit Petersilie oder Kerbel bestreuen, servieren.

**Tipp:**
Sie können die Karotten weglassen und dafür die Lauchmenge erhöhen.

*Schottischer Eintopf (oben) und Französische Kartoffelsuppe*

# Grüne Frühlingssuppe

Vorbereitungszeit:
**30 Minuten**
Zubereitungszeit:
**25 Minuten**

**Für 6–8 Portionen**

- 6 Frühlingszwiebeln
- 1 EL Öl
- 450 g Kartoffeln, geschält und gewürfelt
- 2 Karotten, gewürfelt
- 2 Lauchstangen, in Ringen
- 1 EL frischer Thymian
- 5 Knoblauchzehen, zerdrückt
- 30 g Petersilie, gehackt
- 200 g Spinatblätter, in feine Streifen geschnitten
- 200 g Salatblätter, in feine Streifen geschnitten
- 200 g Sauerampfer, in feine Streifen geschnitten
- 250 g Brunnenkresse, gewaschen und gehackt
- 2 l Gemüsebrühe oder Wasser
- 250 ml Milch
- 3 Eigelb
- Salz und Pfeffer, nach Belieben

1 Die Frühlingszwiebeln hacken. Öl in einem großen Topf erhitzen. Kartoffeln, Karotten, Lauch, Frühlingszwiebeln, Thymian, Knoblauch, Petersilie und Salz zufügen.

2 Unter Rühren bei mittlerer Hitze 5 Minuten andünsten, bis das Gemüse weich wird. Spinat, Salat, Sauerampfer und Brunnenkresse zufügen und bei mittlerer Hitze unter Rühren zusammenfallen lassen.

3 Gemüsebrühe oder Wasser zufügen, 15 Minuten köcheln lassen, bis das Gemüse weich ist. Die Suppe leicht abkühlen lassen, dann portionsweise im Mixer glatt pürieren. Wieder in den Topf geben und Milch und Eigelbe einrühren. Vorsichtig unter häufigem Rühren erhitzen. Salzen, Pfeffern und mit frischen Kräutern garnieren.

**Tipp:**
Durch die Eigelbe wird diese leichte Suppe gehaltvoller. Wer mag, garniert sie noch mit einem Schlag Sahne oder Jogurt. Am besten schmeckt selbst gekochte Gemüsebrühe, für die frisches Gemüse verwendet wird.

*Frühlingszwiebeln und übrige Zutaten fein hacken.*

*Das gehackte Gemüse bei mittlerer Hitze andünsten.*

*Brühe oder Wasser zugießen und das Gemüse weich kochen lassen.*

*Die Mischung wieder in den Topf geben und Eigelbe und Milch unterrühren.*

# Gulaschsuppe

Vorbereitungszeit:
**20 Minuten + Kühlzeit**
Zubereitungszeit:
**2 Stunden**

**Für 4–6 Portionen**

**4 dicke Scheiben Frühstücksspeck oder 60 g Speck**
**60 g Butter**
**2 Zwiebeln, gehackt**
**2 Knoblauchzehen, zerdrückt**
**6 TL Paprikapulver**
**Salz, nach Belieben**
**1 kg Kammstück vom Rind, gewürfelt**
**1 mittlere Tomate, gehäutet und klein gewürfelt**
**2 EL Tomatenmark**
**2 l Rinderbrühe**
**3 mittlere Kartoffeln, gewürfelt**

**1** Speck in Streifen oder Würfel schneiden. Butter in einem großen Topf zerlassen und Speck, Zwiebeln und Knoblauch anbraten.

**2** Paprika, Salz, Fleisch zugeben. Bei starker Hitze 2–3 Minuten anbraten. Tomaten, Tomatenmark, Brühe zugeben. Abgedeckt 1½–2 Stunden köcheln lassen, bis das Fleisch gar ist.

**3** Kartoffeln zugeben und weitere 20 Minuten köcheln lassen, bis sie gar sind. Mit Salz und Pfeffer abschmecken und über Nacht kalt stellen. Fett von der Oberfläche abnehmen, den Gulasch wieder erhitzen und servieren.

# Avgolemono

## griechische Zitronensuppe

Vorbereitungszeit:
**20 Minuten**
Zubereitungszeit:
**10 Minuten**

**Für 4–6 Portionen**

**1,5 l Hühnerbrühe**
**150 g Langkornreis**
**2 Eier, getrennt**
**125 ml Zitronensaft**

**1** Die Brühe in einem großen Topf aufkochen. Den Reis zugeben und 8–10 Minuten gar kochen. 500 ml Brühe auf die Seite stellen.

**2** Die Eiweiß in einer kleinen, trockenen Schüssel zu Schnee schlagen. Die Eigelbe unterrühren. Langsam Zitronensaft und Brühe unter Eimischung schlagen. Die Mischung vorsichtig auf den gekochten Reis gießen und durchrühren.

**Tipp:**
Die Suppe lässt sich nicht gut aufwärmen, stellen Sie darum alle Zutaten und Utensilien vorher bereit.

*Gulaschsuppe (oben) und Avgolemono*

# Hühnersuppe mit Matze-Klößen

Vorbereitungszeit:
**40 Minuten**
**+ 1 Stunde Kühlzeit**
Zubereitungszeit:
**2 Stunden 30 Minuten**

**Für 6 Portionen**

*Suppe*

**1 Hähnchen, ca. 1,75 kg**
**4 l Wasser**
**3 Zwiebeln, in Ringe geschnitten**
**4 Karotten, gewürfelt**
**4 Selleriestangen, gewürfelt**
**2 große Petersilienstängel**
**1 Lorbeerblatt**
**8 schwarze Pfefferkörner**
**1 EL Salz**

*Matze-Klöße*

**2 EL Hühnerfett oder Öl**
**1 mittlere Zwiebel, fein gehackt**
**125 g grobes Matzemehl**
**2 Eier, verquirlt**
**1 EL gehackte frische Petersilie**
**Salz und Pfeffer**
**gemahlene Mandeln**

1 Fett vom Huhn abschneiden. Huhn in 8 oder 9 Stücke schneiden, mit Wasser und übrigen Suppenzutaten in großen Topf geben. Zum Kochen bringen, dabei Schaum abschöpfen. Temperatur reduzieren, 2 Stunden köcheln. Abseihen, Brühe wieder in ausgespülten Topf geben, aufkochen. Fleisch von Knochen ablösen. Zur Seite stellen.

2 Klöße in Suppe geben, ohne Deckel 15 Minuten ziehen lassen. Fleisch zugeben, 5–10 Minuten durchwärmen.

3 Für die Klöße Fett oder Öl im einem Topf erhitzen. Zwiebel goldbraun anbraten. In Schüssel geben. Matzemehl, Eier, Petersilie zugeben, dann salzen und pfeffern. Mit gemahlenen Mandeln binden. 1 Stunde kalt stellen. Aus dem Teig walnussgroße Klöße formen.

# Brunnenkresse-Suppe

Vorbereitungszeit:
**15 Minuten**
Zubereitungszeit:
**15–20 Minuten**

**Für 4–6 Portionen**

**1 Zwiebel**
**4 Frühlingszwiebeln**
**450 g Brunnenkresse**
**100 g Butter**
**40 g Mehl**
**750 ml Hühnerbrühe**
**300 ml Wasser**
**Salz und Pfeffer**
**saure Sahne oder Sahne, zum Servieren**

1 Zwiebel, Frühlingszwiebeln und Brunnenkresse grob hacken. Butter in großem Topf erhitzen. Zwiebel, Frühlingszwiebel, Kresse zugeben. Bei schwacher Hitze 2 Minuten weich dünsten.

2 Mehl einrühren. Langsam die Brühe zugießen, zwischendurch glatt rühren. Aufkochen, bis die Suppe leicht andickt. Ohne Deckel bei schwacher Hitze 10 Minuten köcheln lassen, bis die Kresse gar ist. Leicht abkühlen lassen.

3 Im Mixer glatt pürieren. Kurz durchwärmen, mit Salz und Pfeffer abschme-

*Hühnersuppe mit Matze-Klößen (oben) und Brunnenkresse-Suppe*

cken. Mit einem Schlag saurer Sahne oder Sahne und mit frischer Brunnenkresse garnieren und servieren.

# Stracciatella

## Italienische Eierbrühe

Vorbereitungszeit:
**15 Minuten**
Zubereitungszeit:
**10 Minuten**

**Für 4–6 Portionen**

- **1,5 l Hühnerbrühe**
- **60 g frischer Parmesan, gerieben**
- **3 Eier**
- **20 g frische Petersilie, gehackt**

**1** Die Hühnerbrühe in einem Topf aufkochen.

**2** In mittelgroßer Schüssel Parmesan, Eier, Petersilie verrühren. Mischung in die heiße Hühnerbrühe quirlen. Bei starker Hitze 1–2 Minuten erhitzen. Die Suppe mit Petersilie bestreuen und mit Parmesan servieren.

# Meeresfrüchte-Topf

Vorbereitungszeit:
**15 Minuten**
Zubereitungszeit:
**30 Minuten**

**Ergibt 10 Tassen**

- **60 g Butter**
- **2 Scheiben Frühstücksspeck, klein gewürfelt**
- **1 Lauchstange, in feine Ringe geschnitten**
- **1 Karotte, geschält und klein gewürfelt**
- **1 Selleriestange, klein gewürfelt**
- **1 große Kartoffel, geschält und gewürfelt**
- **40 g Mehl**
- **1 l heißer Fischfond**
- **400 g fester weißfleischiger Fisch, gehäutet, entgrätet und in 2 cm große Würfel geschnitten**
- **250 g Jakobsmuscheln, gesäubert und halbiert**
- **200 g kleine geschälte Garnelen**
- **250 ml Sahne**
- **20 g Petersilie, fein gehackt**
- **Salz und Pfeffer**

**1** 30 g Butter in einem großen Topf zerlassen und den Speck bei schwacher Hitze 5 Minuten anbraten. Aus dem Topf nehmen und auf die Seite stellen. Restliche Butter zerlassen und Lauch, Sellerie und Kartoffel bei mittlerer Hitze unter häufigem Rühren hell anbräunen.

**2** Das Mehl zugeben und 1 Minute anschwitzen. Den heißen Fischfond zugießen. Unter Rühren 5 Minuten aufkochen, bis die Suppe glatt ist und eindickt. 5 Minuten ohne Deckel köcheln lassen.

**3** Die Fischwürfel zugeben und 5 Minuten unter häufigem Rühren erwärmen. Muscheln, Garnelen, Sahne, Petersilie und Speck zugeben und verrühren. 5 Minuten durchwärmen, aber nicht mehr kochen lassen. Salzen und pfeffern.

**Tipp:**
Die Suppe kann bis Schritt 3 vorbereitet werden. Fisch und Meeresfrüchte erst kurz vor dem Servieren garen.

*Stracciatella (oben) und Meeresfrüchte-Topf*

# Gemüsesuppe mit Pesto

Vorbereitungszeit:
**45 Minuten**
Zubereitungszeit:
**35–40 Minuten**

**Für 8 Portionen**

| | |
|---|---|
| 2 mittlere Zwiebeln | 1 TL Salz |
| 1 Lauchstange | 2 l Wasser oder Gemüsebrühe |
| 3 frische Petersilienstängel | 80 g dicke Bohnen, frisch oder TK-Ware |
| 1 großer frischer Rosmarinzweig | 80 g Erbsen, frisch oder TK-Ware |
| 1 großer frischer Thymianzweig | 2 Tomaten, gehäutet und gewürfelt |
| 1 großer frischer Majoranstängel | 80 g kleine Makkaroni oder Muschelnudeln |
| 60 ml Olivenöl | |
| 1 Lorbeerblatt | |
| 375 g Kürbis, in kleine Stücke geschnitten | *Pesto* |
| 250 g Kartoffeln, in kleine Stücke geschnitten | 30 g frisches Basilikum |
| | 2 große Knoblauchzehen, zerdrückt |
| 1 mittlere Karotte, in Stifte geschnitten | ½ TL schwarzer Pfeffer |
| 2 kleine Zucchini, in feine Scheiben geschnitten | 40 g geriebener Parmesan |
| | 80 ml Olivenöl |

1 Zwiebel und Lauch in dünne Ringe schneiden. Petersilie, Rosmarin, Thymian und Majoran zusammenbinden. Öl im Schmortopf erhitzen, Zwiebel und Lauch bei schwacher Hitze 10 Minuten weich dünsten.

2 Kräuterstrauß, Lorbeerblatt, Kürbis, Kartoffeln, Karotte, Zucchini, Salz und Wasser oder Brühe zugeben. Abgedeckt 10 Minuten köcheln lassen, bis das Gemüse fast gar ist.

3 Bohnen, Erbsen, Tomaten und Nudeln zugeben, abgedeckt weitere 15 Minuten köcheln lassen, bis das Gemüse und die Nudeln gar sind. Kräuterstrauß und Lorbeerblatt entfernen.

4 Für das Pesto Basilikum, Knoblauch, Pfeffer und Käse im Mixer 20 Sekunden fein zerkleinern. Bei laufendem Motor Öl in dünnem Strahl zugießen, glatt verrühren. Kalt stellen. Suppe erhitzen und mit einem Schlag Pesto anrichten.

*Petersilie, Rosmarin, Thymian und Majoran zusammenbinden.*

*Wasser oder Brühe zu Kräutern und Gemüse in den Topf geben.*

*Alles köcheln lassen, bis das Gemüse und die Nudeln gar sind.*

*Für das Pesto das Öl langsam in den Mixer gießen und glatt verrühren.*

# Tom Kha Gai

## Hähnchen-Kokos-Suppe

Vorbereitungszeit:
**20 Minuten**
Zubereitungszeit:
**10 Minuten**

**Für 4 Portionen**

625 ml Hühnerbrühe
2 Kaffir-Limettenblätter
5 cm-Stück Zitronengras, nur der weiße Teil, fein gehackt
3 cm-Stück Galgantwurzel, in 4 Stücke geschnitten
2 EL Fischsauce
2 EL Zitronensaft
1 Hähnchenbrustfilet, in feine Streifen geschnitten
375 ml Kokosmilch
2 kleine rote Chilischoten, gespalten
frischer Koriander, zum Servieren

1 Die Brühe in einem mittelgroßen Topf erhitzen. Limettenblätter, Zitronengras, Galgant, Fischsauce und Saft zugeben. Dann aufkochen.

2 Fleisch und Kokosmilch zufügen. Die Temperatur reduzieren und 3–5 Minuten köcheln lassen, bis das Fleisch gar ist. Die Chillies zufügen und 1 Minute mitkochen.

3 Suppe in Schälchen füllen, mit frischem Koriander bestreuen. Servieren.

# Wantan-Suppe

Vorbereitungszeit:
**45 Minuten**
Zubereitungszeit:
**20 Minuten**

**Für 6 Portionen**

3 getrocknete chinesische Pilze
125 g Schweinehack
60 g rohe Garnelen, geschält und fein gehackt
½ TL Salz
2 TL Sojasauce
1 TL Sesamöl
1 Frühlingszwiebel, fein gehackt
1 TL frischer Ingwer, gerieben
1 EL fein gehackte Wasserkastanien
24 Wantan-Blätter
1,25 l Hühnerbrühe
4 Frühlingszwiebeln, in sehr feine Ringe geschnitten, zum Garnieren

1 Pilze mit heißem Wasser übergießen, 30 Minuten einweichen, abgießen und ausdrücken. Stiele entfernen, die Hüte fein hacken. Pilze, Fleisch, Garnelenfleisch, Salz, Sojasauce, Sesamöl, Frühlingszwiebeln, Ingwer und Wasserkastanien verkneten.

2 Je ein Wantan-Blatt verarbeiten, Rest mit feuchtem Tuch abdecken. 1 Teelöffel Füllung auf das Blatt geben.

3 Teigränder anfeuchten, zu einer Beutelform anheben und zusammendrücken. Portionsweise 4–5 Minuten in kräftig kochendem Wasser garen, abtropfen lassen. Brühe in einem anderen Topf aufkochen. Wantans in Schälchen geben, mit Frühlingszwiebeln bestreuen und mit der heißen Brühe übergießen.

*Tom Kha Gai (oben) und Wantan-Suppe*

# Cock-a-leekie

## Schottische Hühner-Lauchsuppe

Vorbereitungszeit:
**20 Minuten**
Zubereitungszeit:
**2 ½ Stunden**
**+ Kühlzeit**

**Für 4–6 Portionen**

**1 Suppenhuhn**
**2,25 l Wasser**
**3 Lauchstangen, in Ringe geschnitten**
**200 g entsteinte Backpflaumen**
**2 EL Reis**
**Salz und Pfeffer**

1 Das Huhn zerteilen, dabei möglichst viel Haut und Fett entfernen. Das Fleisch in einem großen Topf mit kaltem Wasser aufsetzen, zum Kochen bringen und häufig den aufsteigenden Schaum abschöpfen.

2 Lauch, Backpflaumen, Reis, Salz, Pfeffer zufügen. Abgedeckt 2–2½ Stunden köcheln lassen, bis das Fleisch gar und die Suppe gut durchgezogen ist. Bei Bedarf mit Salz und frisch gemahlenem, schwarzen Pfeffer nachwürzen.

3 Die Suppe leicht abkühlen lassen und Fleisch und Knochen entfernen. Das Fleisch klein schneiden und wieder in den Topf geben. Über Nacht kalt stellen. Das Fett abschöpfen, dann erhitzen und servieren. Dieser Schritt ist wichtig, sonst wird die Suppe zu fettig.

# Ochsenschwanzsuppe

Vorbereitungszeit:
**20 Minuten**
Zubereitungszeit:
**3–3 ½ Stunden**

**Für 6–8 Portionen**

**1 kg Ochsenschwanz, in Stücke geschnitten**
**60 g Butter**
**3 Suppenknochen**
**1 Karotte, gewürfelt**
**1 Lorbeerblatt**
**2 l Wasser oder Rinderbrühe**
**20 g Petersilie**
**Salz**
**6 schwarze Pfefferkörner**
**2 Zwiebeln, gehackt**
**2 Selleriestangen, gewürfelt**
**2 Kartoffeln, geschält und gewürfelt**
**200 g Rollgerste**

1 Fleisch vom Fett säubern und gründlich waschen. Butter in großem Topf erhitzen. Ochsenschwanz, Suppenknochen, Karotte, Lorbeerblatt, Petersilie zugeben. Unter Rühren bei starker Hitze hellbraun anbraten.

2 Wasser, Brühe, Salz und Pfefferkörner zugeben. Aufkochen, Temperatur leicht reduzieren und abgedeckt 2½–3 Stunden köcheln.

3 Etwas abkühlen lassen, dann die Suppe abseihen. Fleisch von den Knochen lösen und wieder in die Brühe geben.

4 Zwiebel, Sellerie, Kartoffeln, Gerste zur Suppe geben. Abgedeckt 30 Minuten köcheln lassen, bis Gemüse und Gerste gar sind. Mit Petersilie bestreut servieren.

*Cock-a-leekie (oben) und Ochsenschwanzsuppe*

# Bouillon

Das Geheimnis einer gelungenen Suppe ist eine gute Brühe oder Bouillon. Die Zubereitung ist gar nicht schwierig, zudem ist selbst gekochte Brühe preiswert und nahrhaft. Die Vorbereitungen sind schnell erledigt, und während der Kochzeit muss man nur gelegentlich nach dem Topf sehen. Rinder- und Hühnerbrühe werden aromatischer, wenn man Fleisch oder Knochen zuerst leicht anbräunt. Man kann auch Bratenreste verwenden. Ein frisches Bouquet garni aus Petersilie, Thymian und einem Lorbeerblatt ist empfehlenswert, aber auch getrocknete Kräuter sind geeignet. Kochen Sie gleich die doppelte Menge Brühe und frieren Sie eine Portion ein. Brühe soll niemals kochen. Sie wird langsam bis an den Siedepunkt erhitzt. Dann die Temperatur reduzieren und nur eben köcheln lassen.

## Rinderbrühe

Vorbereitungszeit:
**20 Minuten**
Zubereitungszeit:
**4 Stunden 50 Minuten**

**Ergibt 1 Liter**

**2 kg Rinderknochen**
**2 mittlere Karotten, in Stücke geschnitten**
**2 mittlere Zwiebeln, mit Schale, in Stücke geschnitten**
**3 l Wasser**
**2 Selleriestangen, mit Grün, in Stücke geschnitten**
**1 Bouquet garni**
**12 schwarze Pfefferkörner**

**1** Backofen auf 210 °C vorheizen. Knochen auf einem Backblech 30 Minuten bräunen, dabei gelegentlich wenden. Karotte und Zwiebel zugeben, unter gelegentlichem Wenden weitere 30 Minuten bräunen.

**2** Knochen, Karotte und Zwiebel in einen großen Topf geben. Fett vom Blech abgießen, dann 250 ml Wasser zugießen und den Satz mit einem Holzlöffel losrühren. In den Topf geben.

**3** Sellerie, restliches Wasser, Bouquet garni und Pfefferkörner in den Topf geben. Langsam zum Kochen bringen und ohne Deckel 4 Stunden leicht köcheln lassen. Ab und zu den Schaum abschöpfen. Die Brühe durch ein feines Sieb gießen und Knochen und Gemüse wegwerfen. Abkühlen lassen, dann kalt stellen und das erstarrte Fett von der Oberfläche abnehmen.

## Fischfond

Vorbereitungszeit:
**15 Minuten**
Zubereitungszeit:
**30 Minuten**

**Ergibt 1,5 Liter**

- **15 g Butter**
- **2 mittlere Zwiebeln, fein gehackt**
- **2 l Wasser**
- **1,5 kg Fischabfälle**
- **10 schwarze Pfefferkörner**
- **1 Bouquet garni**

**1** Butter in großem Topf zerlassen, Zwiebel darin unter Rühren bei schwacher Hitze 10 Minuten glasig dünsten. Nicht anbräunen.
**2** Fischabfälle, Pfefferkörner, Wasser, Bouquet garni zugeben und langsam aufkochen. Temperatur reduzieren, ohne Deckel 20 Minuten köcheln, dabei Schaum abschöpfen. Durch feines Sieb gießen und Feststoffe wegwerfen.

**Tipp:**
Für Fischfond nur weißfleischigen Fisch verwenden. Dunkler Fisch macht die Brühe fettig und trüb.

## Hühnerbrühe

Vorbereitungszeit:
**20 Minuten**
Zubereitungszeit:
**3 Stunden 50 Minuten**

**Ergibt 1,5 Liter**

- **1,5 kg Hühnerknochen**
- **2 große Zwiebeln, mit Schale, in Stücke geschnitten**
- **3 l Wasser**
- **2 mittlere Karotten, in Stücke geschnitten**
- **2 Selleriestangen, mit Grün, in Stücke geschnitten**
- **1 Bouquet garni**
- **12 schwarze oder weiße Pfefferkörner**

**1** Backofen auf 180 °C vorheizen. Knochen, Zwiebeln in großen Bräter legen und 50 Minuten anbräunen. Knochen und Zwiebeln in einen großen Topf geben.
**2** Wasser, Bouquet garni, Gemüse und Pfefferkörner zugeben. Langsam zum Kochen bringen. Temperatur reduzieren und ohne Deckel 3 Stunden leicht köcheln lassen. Ab und zu Schaum abschöpfen. Durch ein feines Sieb gießen und die Feststoffe wegwerfen.
**3** Abkühlen lassen, dann kalt stellen. Das erstarrte Fett von der Oberfläche abnehmen.

# Register